잠시 쉬어가는 시

지은이 글자 마법사
지은이 이메일 194420@naver.com

발 행 2023년 06월 05일
펴낸이 한건희
펴낸곳 주식회사 부크크
출판사등록 2023.07.15.(제2023-1호)
수 소 서울특별시 금천구 가산디지털1로 119 SK트윈타워 A동
305호
전 화 1670-8316
이메일 info@bookk.co.kr

ISBN 979-11-410-3036-0

www.bookk.co.kr

잠시 쉬어가는 시

가) **BOOKK**✏️
나) 글자 마법사

머리말 -작가의 편지

잠시 쉬어가길 바라며

이 책을 잠시 쉬어가지 못하는 당신에게
쉼터 같은 시를 바치고 부디 마음의 쉼을 찾길
바라면서 저도 노력하며 책을 만들겠습니다.

삶을 이어주는 당신이 있기에 우리는 나아갑니다.

차례

머리말- 작가의 편지

차례

잠시 쉬어가는 시

글자 마법사

잠시 쉬어가는 시

글자 마법사

아름답게 별

아랑곳하지 않고 별들은
아름답게 자유롭게
갈 수 있는 별들은 우리의
마음에 스며들어
따뜻하게 만든다.

당신의 앞날은

당신의 앞날을 위해 나는

자그마한 선물로

편지에 천천히 글자를 채우고
당신의 앞날에는
행복하기를 바라면서
미소를 지었다.

당신에게

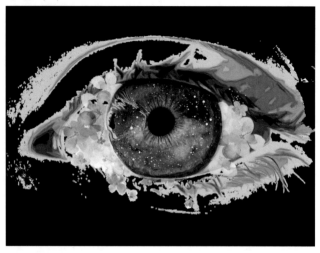

당신에게 미소를 지으며
행복이란
꽃처럼 모든 것이 피면
나는 다시 한번 당신에게
미소 지으면서 바라본다.

노을 진 바다

노을은 모두의 마음을 위로하고 있지만
노을 진 바다는 잠시 빛나고 심해 밑으로
내려가
잠들지만 다시 이런 시간이 오면 심해로
내려갈
햇빛을 보며 다시 희망이란 단어를 음미한다.

잠시 잠든 생명

잠시 갈 곳을 잃은 생명은
민들레 씨앗처럼 좋은 곳,
나쁜 곳 가리지
나타나 마음의 땅에서 잠든 뒤
비극이거나 행복한 결말을
맞은 뒤
생명은 다시 잠시 잠들고
안녕히.

단풍 아래에서

단풍나무 아래에서 사랑 이야기를
하다가 천천히 떨어진 단풍잎처럼 잠시
이별을 고하고
그 자리에서 그녀를 기다린다,

잠시만 기다려

오늘 너와 함께 가는 길은 오늘로
마지막이지만 잠시 기다려 달라고 하고
너는 나한테 따뜻한 목도리를 주고
안녕이라는 말을 걸고 간다.

어둠에서 조용히

어둠에서 별이 만든 빛으로 어둠 같은
세상에서 빛으로 감싸고 그 위에는
은은한 별들이 이야기를 쓰고 있다.

눈꽃

눈은 꽃처럼 내려서 잠시 쌓여서
아이들한테 재미있는 놀이가 많은
인연은 눈꽃의 마법을 보고 이어진다.

기억의 책

기억은 살아온 인생에서 때때로 자신을
돌아보고 추억을 돌아보고 기억은
우리한테 책처럼 보관하고 잠시 후 그
책을 꺼내서 읽는 얼굴은 어떨까?

차 한잔과 당신

당신과 함께 한 시간은 달콤한 다과와
같아 차와 즐기며
당신과 함께 웃으면서 그 다과를
함께하길.

밤은 차갑지만

밤은 차갑지만
이야기가 아름다운 별이 되어
밤을 안아주고 잠시 밤의 안에서
잠든다.

일몰

일몰은 해가 모두를 안아주는 시간
일몰이 지면 달빛은 은은하게 부드러운
빛으로 우리의 마음을 따뜻하게
녹여준다.

외로운 감정

외로운 감정을 느낄 수 없게 할 수는
없지만 그래도 그 감정을 외로운
나에게 꽃 하나 보내고 안아주면
외로운 감정이라는 비는 서서히
사라진다.

별들의 노래

별들은 노래를 흥얼거리며 아래에서
사람들은 이야기를 만들고 있다가 다음
시대에서 이야기를 듣고 글로 만든다.

산뜻한 아침

산뜻한 아침에 일어나 너의 따뜻한
목소리를 듣고 커피랑 같이 아침의
산뜻한 향기를 마주하고 오늘도
하루라는 이야기를 만들자.

행복의 불꽃놀이

밤이라는 어둠에서 빛들이 사라질 때
행복을 원하는 아이들이 불꽃놀이로
어둠에서 웃으면서 공원에서 놀다가
불꽃놀이가 끝나고 다시 집으로 간다.

밤으로 가는 소녀

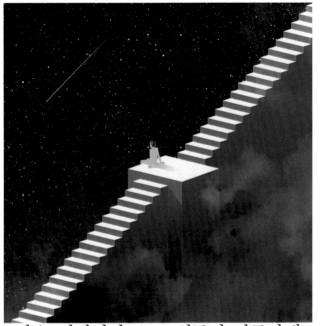

밤은 어김없이 오고 별들이 아름답게
하늘을 지키고 있었는데 소녀는
하늘에서 내려와서 소녀의 마음 아래
한구석에서 자리를 지킨다.

밤을 잊은 그대

밤이라는 컴퍼스에 별들이라는 그림을
보고 각각 다른 해석을 할수도 있고
밤을 잊어버려서 갈 길이 멀어서
하늘을 올려다보는데 별들이 아름답게
하늘을 지키고 있었다.

낡은 집과 함께

우리는 인생에서 옛날에 지은 집을
잃어버린 채 살다 늙은 나와 옛날 집을
짓고 쉬던 나를 웃으면서 방기는
집으로 돌아가 우리는 눈을 감고
편하게 잠에 빠진다.

그대라는 겨울의 눈

나는 그대라는 아름다운 겨울의 눈을
잊지 못하고 하늘만 보면서 그대의
눈을 기다리고 있었고 하늘도 양털을
덮으면서 그대가 다시 오게 되면
웃으며 안녕.

봄

봄은 꽃들과 함께 웃으면서 케익을
만들어서 우는 소녀에게 초대장을
보내고 꽃들이 소녀한테 향기로운
케익과 자신의 향기로
환영했다.

민들레의 여행

민들레는 엄마 품에서 떠나
이곳저곳에서 여행을 다니면서 자신의
이야기를 만들며 땅에서 자신의 향기로
이야기를 하고 새로운 민들레는 그
안에서 기다리고 있다.

잔잔한 미소

잔잔하게 그대는 바닷가와 같이
미소를 지으며 그대의 얼굴은
내 마음에서 바다를 만들어주고
나는 그대라는 바다를 잔잔히 보고서
조용하게 바다에 몸을 맡겠다.

아침의 호수

아침에는 다른 모습으로 호수는 우리의
마음을 따뜻하게 녹이기도 아름답게
사랑의 감정을 표현하기도 한다.

안개의 이야기

안개는 힘이 드는 빛들을 가리기 위해
모였다가 눈물을 흘리며 잠을 자고
아침에 일어나기 전까지는 우리가 그
빛을 가리고 있을게 그러니 안심하고
잠들어.

숲속에서

나는 잠시 동안 아름다운 나비와 꽃의
이야기를 쓰고 오늘도 좋은 향기를
전하면서 많은 것을 알게 되었다.

꽃바람

꽃은 바람과 함께 향기를 전하면서
누군가의 추억이 될 수도 누군가의
사랑을 이어주기도 한다.

인연

인연은 사소하거나 또는 다른 이유로 만나 인연이 되어 필연적으로 누가 쓴 소설과 같이 이야기가 시작된다.

해적의 노래

해적은 외로운 바다를 타고 바다와
이런저런 이야기를 하며
바다와 무섭기도 다정하게 바다처럼
배는 노래를 따라서 간다.

잠시 사랑은 아지랑이

잠시 사랑은 아지랑이처럼 올라와서
바보 같은 나를 눈물로 안아주고 같이
운명을 이기자는 바보 같은 너의
대답에 미소를 지어본다.

악기의 울림

잠시 악기들의 울림들을 듣고 나는
이런저런 악기로 나의 노래에 맞는
울림을 찾아서 노래에 넣어본다.

무슨 말이 너에게

무슨 말이 너에게 닿을지 나는
고민하며 대답 듣기 힘든 타이밍들
하지만 마지막이라도 들어서 다행이다

가슴에 맴도는 말

당신이 준 가슴에 맴도는 말에
기쁘기도 쓸쓸하기도 한 말이 이제는
추억이란 책에서 볼 수 있는 말이기에
눈물을 지어보지만
그대의 따스한 말 하나에 눈물을
멈춘다.

고요히 날아온 바람

고요히 날아온 바람에 새 한 마리가
오고 꽃이 피지도 않은 나무에 앉아서
꽃을 바라본다.

푸른 달

푸른 달 소원은 잠시 앉아 이야기를
나눌 사람을 이어주길 바라는 소원은
바다의 소리에 못 듣는다.

그림자까지 사랑해

너의 그림자까지 사랑해서 너란 존재가
특별하고 나에게서는 사랑받을 존재야
나에게만 특별하길.

어머니

어머니의 손을 잡아보니 어머니도 이
작은 손으로 나를 돌보고 사랑해줘서
나는 작은 사랑이라도 우리는 느낄 수
있었다.

아버지

아버지는 그 강인한 심장과 힘을
숨기고 우리한테는 다정한 아버지로
눈물을 삼켜도 자식 걱정에 잠을 못
이루는 아버지 주름을 보고 눈물 왔다

동생에게

동생아 미안해 내가 못난 탓에 너까지
혼나는 일이 많았고 사랑을 다른
동생보다 못 받게 만들어서 미안하다.

많은 시간은

많은 시간은 가끔 우리를 힘들게
만들지만 그 속의 추억까지는
거짓말이라고 하지 말아줘요.

잠든 나에게

잠든 나에게 잔잔히 걸어서 내일이란
선물을 놓고 다시 뒤돌아서 간다